Cello Meets Piano

I

Score and cello part

Compiled and edited by
Zusammengestellt und herausgegeben von
Compilé et edité par

Árpád Pejtsik

Könemann Music Budapest

K 238

INDEX

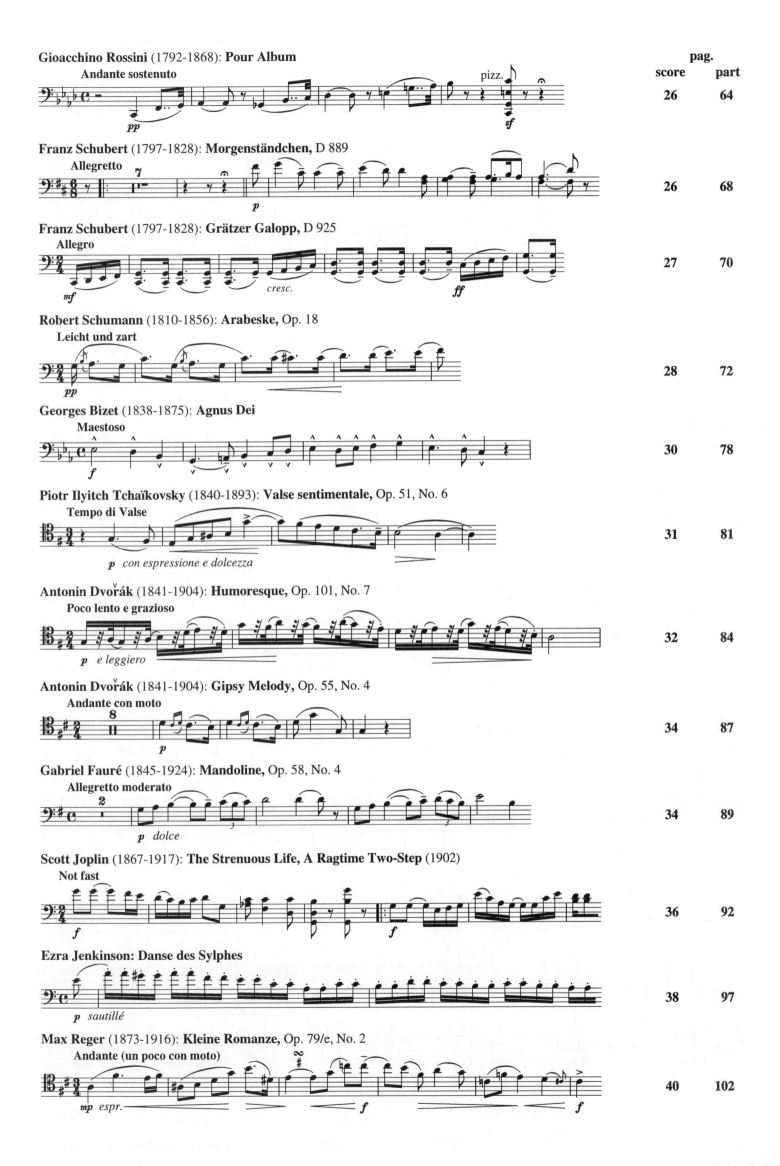

Sonata
Op. 5, No. 8

Preludio
Largo

Arcangelo Corelli

K 238

Allemanda

Allegro

Sarabanda
Largo

Giga

Allegro

K 238

Sonata

Alessandro Scarlatti

12

Piano

attacca

Presto

Sonata

Adagio

Giuseppe Maria Jacchini

Presto

Aria
Allegro

Concerto
RV 411

Allegro

Antonio Vivaldi

Largo

Allegro molto

K 238

Sonata
"Der getreue Musikmeister"

Georg Philipp Telemann

K 238

K 238

Allegro

Adagio
BWV 974

Alessandro Marcello–Johann Sebastian Bach

Scherzando
Hob. XI: 70

Joseph Haydn

Menuet

KV 334

Wolfgang Amadeus Mozart

Trio

Da Capo al Fine

Ave Maria

Transcribed by D. Popper

Luigi Cherubini

Rondo

Op. 38, No. 1

Transcribed by F.G. Jansen

Bernhard Romberg

K 238

poco rit.   a tempo

K 238

Menuet

WoO 10, No. 2

Ludwig van Beethoven

Tema con variazioni
Op. 105, No. 1

Tema

Andantino quasi Allegretto

Ludwig van Beethoven

Var. I (violoncello tacet)

Var. II

Pour Album

Gioacchino Rossini

64

K 238

Morgenständchen
D 889
Transcribed by D. Popper

Franz Schubert

K 238

Grätzer Galopp
D 925

Franz Schubert

K 238

Trio

Da Capo al Fine

Arabeske
Op. 18

Robert Schumann

Minore

Agnus Dei

Mélodie religieuse

Georges Bizet

K 238

Valse sentimentale
Op. 51, No. 6

Piotr Ilyitch Tchaïkovsky

82

Humoresque

Op. 101, No. 7

Antonín Dvořák

K 238

86

Gipsy Melody
Op. 55, No. 4

Antonín Dvořák

88

K 238

Mandoline
Op. 58, No. 4

Gabriel Fauré

90

K 238

The Strenuous Life
A Ragtime Two-Step (1902)

Scott Joplin

K 238

Danse des Sylphes

Ezra Jenkinson

Kleine Romanze

Op. 79/e, No. 2

Max Reger

Andante (un poco con moto)

K 238

The realizations of the thorough bass are
by the editor of this volume. Arrangements are also by him;
exceptions are mentioned in the headings.

© 1997 for this edition by Könemann Music Budapest Kft.
H-1093 Budapest, Közraktár utca 10.

K 238

Distributed worldwide by
Könemann Verlagsgesellschaft mbH, Bonner Str. 126.
D-50968 Köln

Responsible co-editor: Árpád Pejtsik
Production: Detlev Schaper
Cover design: Peter Feierabend
Technical editor: Dezső Varga

Engraved by Kottamester Bt., Budapest:
Balázs Bata, Dénes Hárs, Erzsébet Korona, Éva Lipták

Printed by Kossuth Printing House Co., Budapest
Printed in Hungary

ISBN 963 9059 19 6

Sonata
Op. 5, No. 8

Preludio

Arcangelo Corelli

Allemanda

Sarabanda

Giga

Allegro

Sonata

Alessandro Scarlatti

Sonata

Giuseppe Maria Jacchini

K 238

Concerto
RV 411

Antonio Vivaldi

Sonata

"Der getreue Musikmeister"

Georg Philipp Telemann

K 238

14

Adagio
BWV 974

Alessandro Marcello–Johann Sebastian Bach

Scherzando

Hob. XI: 70

Joseph Haydn

*) pizzicato mit der linken Hand
 left hand pizzicato
 pizzicato de la main gauche

Menuet
KV 334

Wolfgang Amadeus Mozart

K 238

Trio

Da Capo al Fine

Ave Maria

Transcribed by D. Popper

Luigi Cherubini

K 238

Rondo

Op. 38, No. 1

Transcribed by F.G. Jansen

Bernhard Romberg

Menuet
WoO 10, No. 2

Ludwig van Beethoven

Tema con variazioni
Op. 105, No. 1

Tema
Andantino quasi Allegretto

Ludwig van Beethoven

K 238

Var. I tacet

Var. II

Var. III

Allegro

Adagio   a tempo

Tempo I

K 238

25

Pour Album

Gioacchino Rossini

Morgenständchen

D 889

Transcribed by D. Popper

Franz Schubert

Grätzer Galopp

D 925

Franz Schubert

Arabeske

Op. 18

Robert Schumann

28

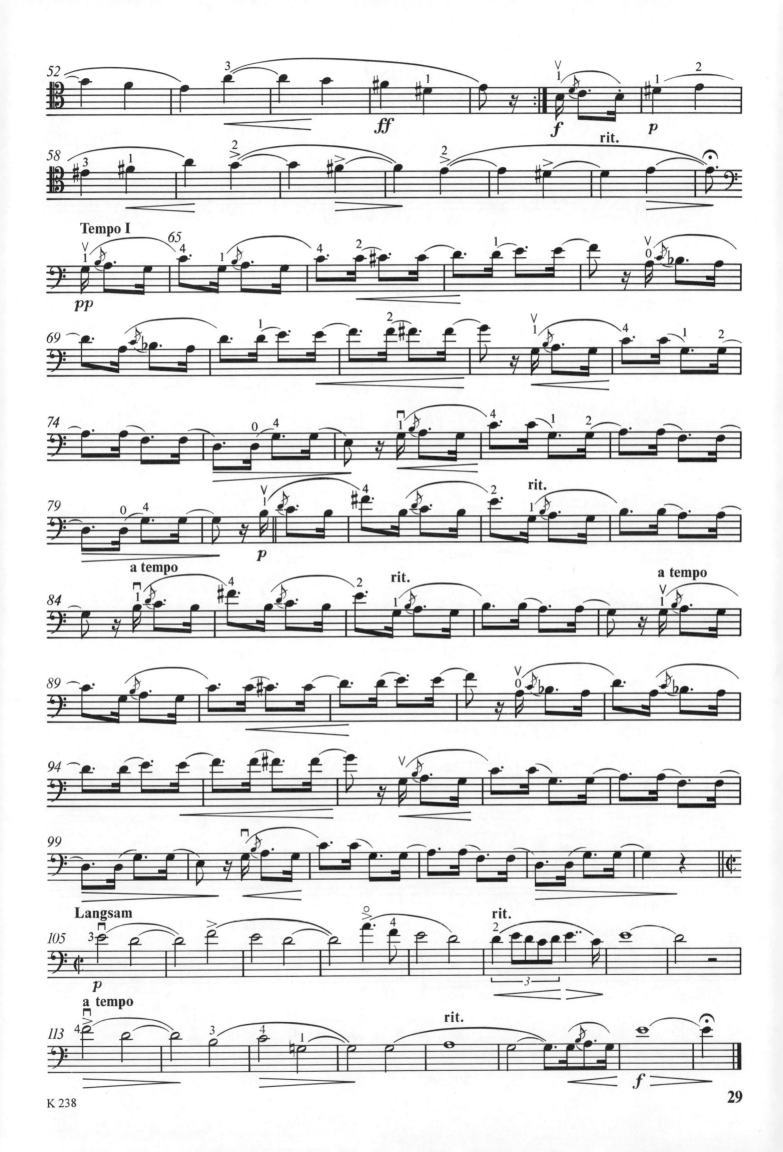

Agnus Dei

Mélodie religieuse

Georges Bizet

Valse sentimentale
Op. 51, No. 6

Tempo di Valse

Piotr Ilyitch Tchaïkovsky

p con espressione e dolcezza

K 238

31

Humoresque
Op. 101, No. 7

Antonín Dvořák

32

K 238

Gipsy Melody
Op. 55, No. 4

Andante con moto

Antonín Dvořák

Mandoline
Op. 58, No. 4

Gabriel Fauré

Allegretto moderato (♩ = 80)

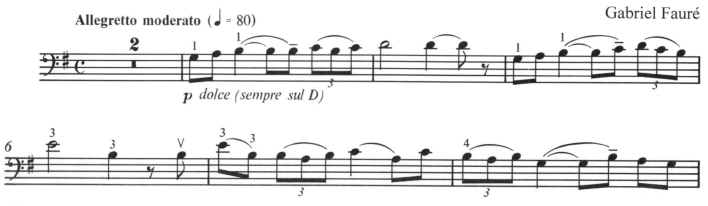

p dolce (sempre sul D)

K 238

The Strenuous Life

A Ragtime Two-Step (1902)

Scott Joplin

36

Danse des Sylphes

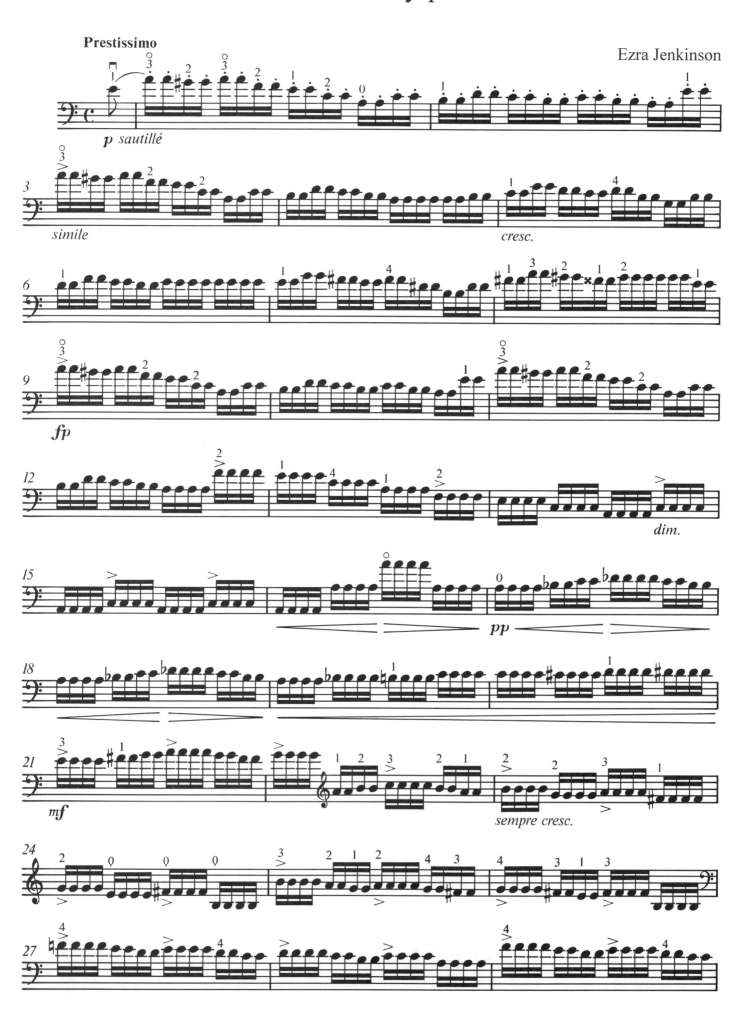

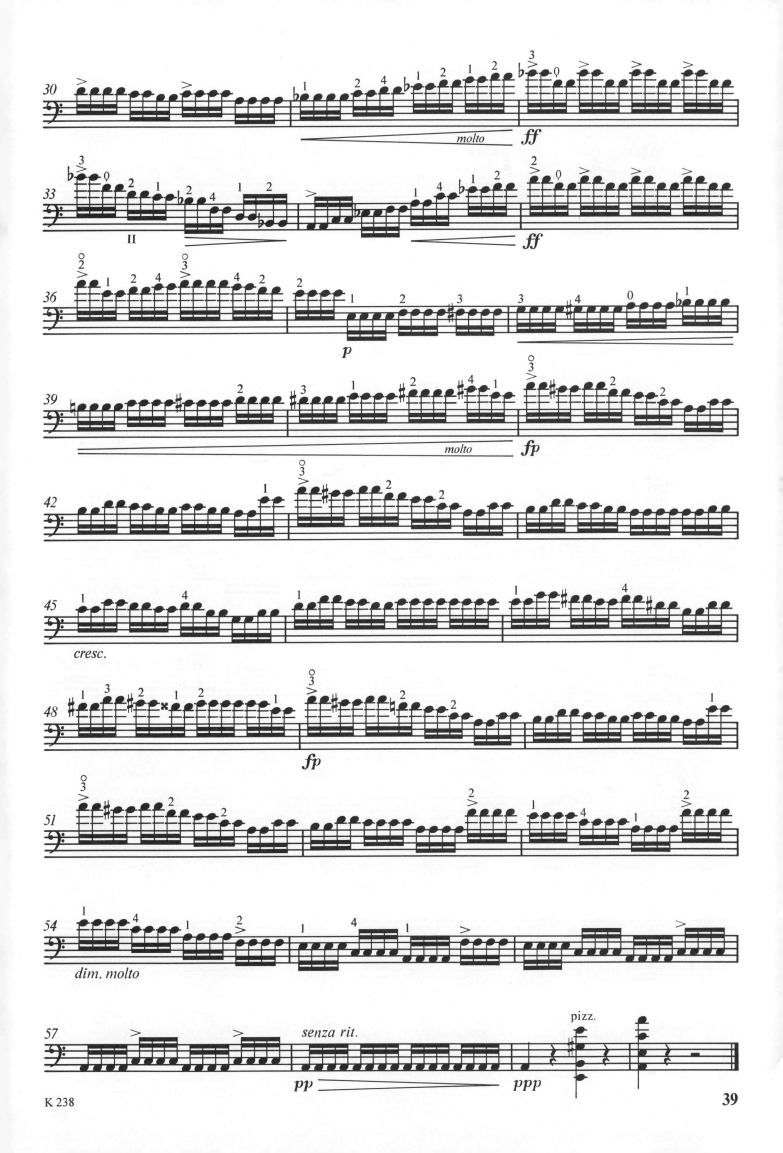

Kleine Romanze
Op. 79/e, No. 2

Max Reger

K 238